Cuando mamá tenía la edad de mi hermano pequeño, no se podía ...
Barcelona no había u...
un metro que llegase ...
que mi madre es mayo...
una abuela, ni mucho ...
cambio, conoció una c...
la gente tenía que coger el tren o el seiscientos para irse a remojar o a tomar el sol (el seiscientos era un coche de antes, redondo como un caracol). Menos mal que los Juegos Olímpicos de 1992 fueron la excusa para hacer una ciudad más bonita. Los atletas ganaron medallas y Barcelona ganó el mar en el que mis hermanos y yo nos bañamos cada verano. Solo seis paradas de metro separan nuestra casa de la estación de Vila Olímpica: nos plantamos en la orilla en veinte minutos.

Mi hermana está haciendo un trabajo de investigación de bachillerato sobre la historia de Barcelona y me ha pedido que la ayude a escribirlo. Aina es la mayor de los cuatro hermanos y la única chica. Yo no soy ni el mayor ni el pequeño, y ni siquiera soy el único mediano. Me llamo Abel y tengo diez años. Aina nació tres años después de los Juegos Olímpicos, cuando las medallas de los atletas todavía relucían. Esta semana, la primera de las vacaciones de verano, ella y yo andaremos con los ojos muy abiertos por la ciudad donde nacimos. Me ilusiona hacer turismo sin salir de casa. Sin salir de Barcelona, quiero decir.

Hoy es lunes, y nos toca Ciutat Vella. Aina ha decidido que tenemos que empezar por el centro, para saber de dónde venimos. Le he dicho que es como empezar un melocotón por el hueso, y que los dos procedemos del vientre de la misma madre, pero creo que no le ha hecho gracia. Y ya nos tenéis tomando el metro hasta la parada de Jaume I, que es donde bajamos cada cinco de enero para ver pasar la cabalgata de los Reyes Magos de Oriente.

Los romanos llegaron aquí más de doscientos años antes de Cristo y fundaron la ciudad de Barcino encima del monte Tàber, justo donde estamos ahora, entre la catedral y la plaza Sant Jaume. La ciudad estaba rodeada de murallas, con cuatro puertas de entrada. En la plaza Ramon Berenguer, muy cerca de la catedral gótica, todavía hay restos de la muralla. Y debajo de la plaza del Rei se conserva el corazón de la ciudad romana. Impresiona que estas piedras sean tan antiguas. Iba a decir que también da cierta envidia, porque las personas no vivimos tantos años, pero no digo nada: ser una piedra tiene que ser muy aburrido. Yo dejaría de mirar piedras e iría a mirar pinturas al Museu Picasso, en la calle Montcada, a cinco minutos de aquí, pero los lunes está cerrado. Lástima.

BARCINO

PARLAMENT DE CATALUNYA
1716 - 1748

La gente que manda en Barcelona se concentra en la plaza Sant Jaume. Bueno, no toda: también está el Parlamento, en el parque de la Ciutadella, tocando al zoo, donde trabajan los diputados (en el Parlamento, ¡no con los animales!). Pero en esta plaza están frente a frente la Generalitat de Catalunya y el Ayuntamiento de Barcelona. En la Generalitat tiene su despacho el presidente del gobierno catalán; en el Ayuntamiento, el alcalde de la ciudad. A lo mejor algún día por la mañana los dos coinciden en la plaza y se saludan, o desayunan juntos en aquel sitio en el que hacen unos bocadillos buenísimos y siempre hay cola. Y quién sabe si por Navidad se escapan un momento para ver el pesebre que se monta cada año en la plaza. Una tradición que se conserva, aunque en Barcelona vivan personas de todas las religiones, y otras que no necesitan la religión para vivir.

Me gusta pasear a pie por el centro. Antiguamente, la plaza Catalunya era un campo exterior a las murallas. Es muy grande y hay muchas palomas. Mamá dice que cuando ella era una niña todavía había más, pero quizás es una trampa de su memoria. La plaza que se llama como el país acoge conciertos con frecuencia. Hoy, martes, Aina ha quedado con una amiga justo en el medio de la plaza. Mireia quiere acompañarnos a recorrer la calle más divertida, más sorprendente y más concurrida de la ciudad: la Rambla. Va de la plaza Catalunya al puerto. Aina me ha pedido que le dé la mano para no perderme. Le he dicho que no soy Aniol, nuestro hermano pequeño. Pero se la he dado: no me quiero perder.

En la fuente de Canaletes se celebran las victorias del Barça. Antes no había una fuente de hierro forjado (la actual data de 1860) sino un surtidor, de donde dicen que salía el agua más fresca y pura de la ciudad. Hoy todavía se cuenta que los turistas que beban el agua mágica de la fuente volverán tarde o temprano a Barcelona. Yo no soy turista, pero tomo un buen trago para ahogar la sed.

¡Cuánta gente circula por la Rambla! La mayoría viste tirantes y pantalones cortos, pues hace calor. Pero todavía hay más gente el 23 de abril, fiesta de Sant Jordi, cuando la ciudad entera se llena de paradas que venden libros y rosas. Es un día más mágico que el agua de Canaletes: si vienes a Barcelona por Sant Jordi, te enamoras tanto de la ciudad que seguro que vuelves.

Cuando era pequeño, en la Rambla había puestos de flores y pájaros. Hoy hay puestos de todo tipo, pero los de animales domésticos han desaparecido. La Rambla actual empezó a tomar forma cuando se derribaron las murallas, a mediados del siglo XIX. Lo que hasta entonces había sido un torrente, la riera de Malla, se convirtió en un paseo. En 1847 ya se inauguró el Liceo, en el número 51 de la Rambla. A mano derecha queda el barrio del Raval: todos los colores del mundo concentrados en pocas calles.

Más arriba, en el mismo lado de la Rambla, está el mercado de la Boqueria, donde compran mis padres el día que tienen invitados. "¡Va, Abel, que a este paso llegaremos a la Boqueria a la hora de cenar!", exclama mi hermana. No puedo evitarlo: me distraigo mirando la multitud que sube y baja. Ha pasado un señor disfrazado de pirata, con un ojo tapado. Y un grupo de castellers. Y una chica que andaba con zancos. Y un abuelo con la cara tan arrugada que me juego un beso a que era el más viejo del mundo. Y un mimo que lloraba con lágrimas de papel de aluminio. Y mucha gente que se perdía el espectáculo porque iba cabizbaja y mirando al móvil, como hacen Aina y mis padres. Son extrañas, las personas mayores. Algunas ni siquiera levantarían la vista aunque por el cielo pasaran vacas volando.

Ahora pasa junto a mí un chico disfrazado de Cristóbal Colón, quien descubrió América casi por casualidad, cuando pretendía ir a las Indias. Lo miro con un ojo mientras, con el otro, busco la auténtica estatua del monumento a Colón, situada al final de la Rambla, que apunta hacia el mar con su dedo. Se construyó para la Exposición Internacional de 1888, como el Arco de Triunfo y el mercado del Born. Este Colón de bronce está sobre una columna de hierro, a sesenta metros de altura. Suficientemente alto para que, desde allí, las personas que caminan por la Rambla parezcan hormigas.

Miércoles. Nos espera la ruta Gaudí. El Park Güell, la Sagrada Família, la Pedrera y la Casa Batlló, por este orden. Caramba con este arquitecto, cuántas casas y cosas que hizo. Y todavía nos quedarán pendientes el Palau Güell, la Casa Vicens, la Casa Calvet, las farolas de la plaça Reial y del Pla de Palau, la puerta de la Finca Miralles, Bellesguard y otras joyas arquitectónicas repartidas por la ciudad. Nos plantaremos arriba por la mañana e iremos bajando, aunque yo me quedaría todo el día en el Park Güell encantado de la vida. Un parque que es un tesoro, empezando por la lagartija recubierta de trencadís y continuando por el banco ondulado de la plaza. He comentado en voz baja a mi hermana que este banco me recuerda a una serpiente y, en vez de decirme que soy raro, me ha explicado que sí, que justamente el banco se compara con una serpiente que toma el sol mediterráneo. Encima de la lagartija y debajo de la serpiente, hay una sala con ochenta y seis columnas: dan ganas de jugar al escondite. Dentro del parque está la casa-museo Gaudí, donde el arquitecto Antoni Gaudí vivió hasta poco antes de morir atropellado por un tranvía en 1926. Desde esta casa bajaba cada día a pie a la iglesia de la Sagrada Família, que es lo que hoy haremos nosotros.

FINCA MIRALLES

Bellesguard

En la Sagrada Família hay torres y grúas. Las torres se quedaran para siempre, las grúas permanecerán mientras duren las obras. El templo, de inspiración gótica y estilo modernista, es impresionante. Las cámaras de fotos hacen horas extras. Se empezó a construir en 1882 y cuando se acabe, si algún día se acaba, incluso mi hermano pequeño ya será mayor. Por dentro, la Sagrada Família parece un bosque. Gaudí era único fusionando arquitectura y naturaleza. Mira la Pedrera: desde fuera parece un mar. Y en el terrado hay unas chimeneas en forma de guerreros. Hemos ido de la Sagrada Família a la Pedrera en metro, y ahora bajaremos por el Paseo de Gracia hasta la Casa Batlló, un edificio que dicen que representa la leyenda de Sant Jordi.

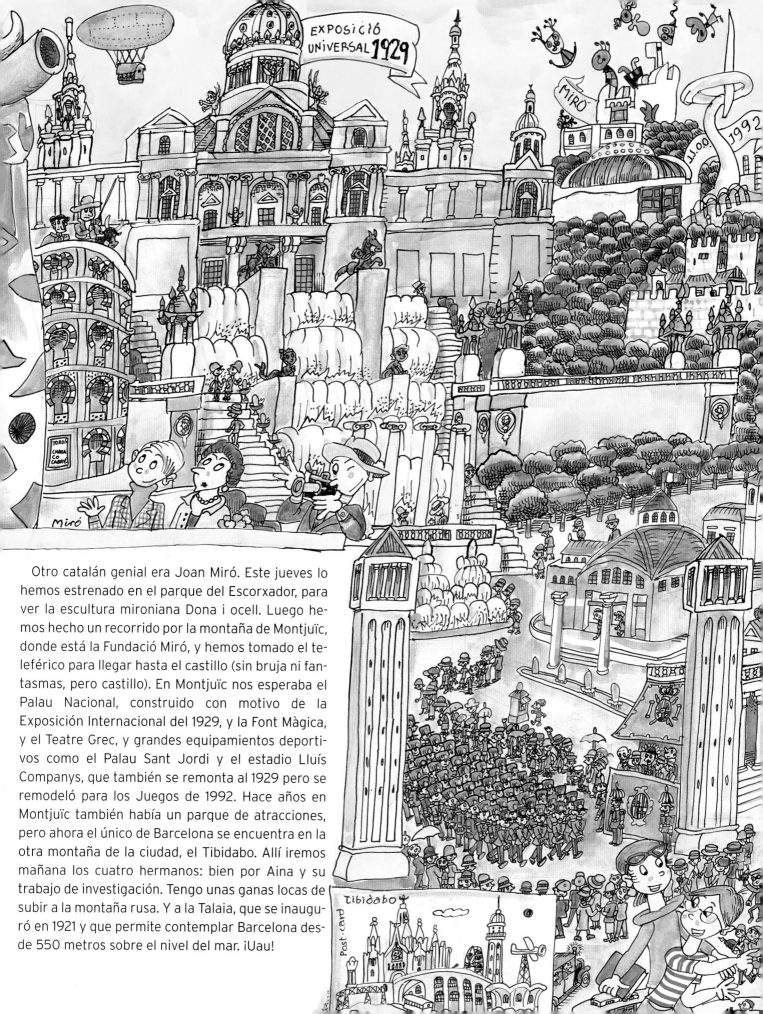

Otro catalán genial era Joan Miró. Este jueves lo hemos estrenado en el parque del Escorxador, para ver la escultura mironiana Dona i ocell. Luego hemos hecho un recorrido por la montaña de Montjuïc, donde está la Fundació Miró, y hemos tomado el teleférico para llegar hasta el castillo (sin bruja ni fantasmas, pero castillo). En Montjuïc nos esperaba el Palau Nacional, construido con motivo de la Exposición Internacional del 1929, y la Font Màgica, y el Teatre Grec, y grandes equipamientos deportivos como el Palau Sant Jordi y el estadio Lluís Companys, que también se remonta al 1929 pero se remodeló para los Juegos de 1992. Hace años en Montjuïc también había un parque de atracciones, pero ahora el único de Barcelona se encuentra en la otra montaña de la ciudad, el Tibidabo. Allí iremos mañana los cuatro hermanos: bien por Aina y su trabajo de investigación. Tengo unas ganas locas de subir a la montaña rusa. Y a la Talaia, que se inauguró en 1921 y que permite contemplar Barcelona desde 550 metros sobre el nivel del mar. ¡Uau!

Desde los miradores del Tibidabo se ve la cuadrícula de calles del Eixample, un barrio proyectado por Ildefons Cerdà en 1859, después de que se derribasen las murallas. También podemos distinguir perfectamente una calle más ancha, que es el paseo de Gràcia, donde está la Pedrera, la Casa Batlló, más edificios modernistas y un montón de tiendas elegantes. Este paseo une la Barcelona antigua con Gràcia, que fue independiente hasta 1897. Gràcia es un barrio con mucho encanto y con unos vecinos muy interesantes. Horta, Sants y muchos otros también son barrios con personalidad, pero no los conozco tan bien porque no vivo allí. Y en agosto, en Gràcia se celebran unas fiestas de campeonato, con un concurso de calles engalanadas. Es como un preludio de la gran fiesta mayor de Barcelona, la Mercè, que llega en septiembre y tiene un programa de actos sin fin. Yo no me pierdo nunca la jornada castellera, ni el baile de gigantes, ni el correfoc, ni el piromusical. Que no me pierdo nada, vaya.

En Gràcia hay tantas plazas que es fácil confundirlas. La plaza del Diamant sirvió para bautizar una de las grandes novelas de la literatura catalana, escrita por Mercè Rodoreda. En la plaza de la Vila hay un campanario construido por el arquitecto Antoni Rovira i Trias entre los años 1862 y 1864. Este señor da nombre a otra plaza del barrio, la Rovira. Y la que da más sensación de pueblo es la plaza de la Virreina, donde está la iglesia de Sant Joan. Tomando un zumo de naranja o un batido de chocolate en una de las terrazas de la Virreina, nadie diría que estamos en una gran capital europea.

El fin de semana lo pasaremos cerca del mar Mediterráneo. Aquí me tenéis, con mis hermanos mayores, Aina y Nil, justo debajo de las torres gemelas, dos rascacielos que son la puerta de entrada a la zona del puerto deportivo. La Vila Olímpica del Poblenou es un barrio que nació en 1992 gracias a los famosos Juegos. Se construyeron pisos para alojar a los atletas. El padre de mi madre nació y creció en uno de los pisos viejos que derrumbaron para construir viviendas nuevas. Es curioso: mi abuelo vivía muy cerca de la playa, pero en aquel tiempo parecía que el mar fuera un inconveniente en lugar de una ventaja. Por suerte, las cosas cambiaron, y ahora tenemos una ciudad abierta al mar.

Caminando (mis hermanos) y patinando (yo) por el paseo Marítim, vamos desde el Port Olímpic hasta la Barceloneta, un antiguo barrio de pescadores con un restaurante de pescado cada dos pasos. Cuando llegamos al puerto viejo, pongo cara de buen chico y pido que me lleven a visitar el Aquàrium: «Por favor, así veremos peces más vivos que los de los restaurantes!». Aina y Nil se ríen, pero me comunican que hoy no tendremos tiempo. «¡Hay más días que peces en el mar, Abel!».

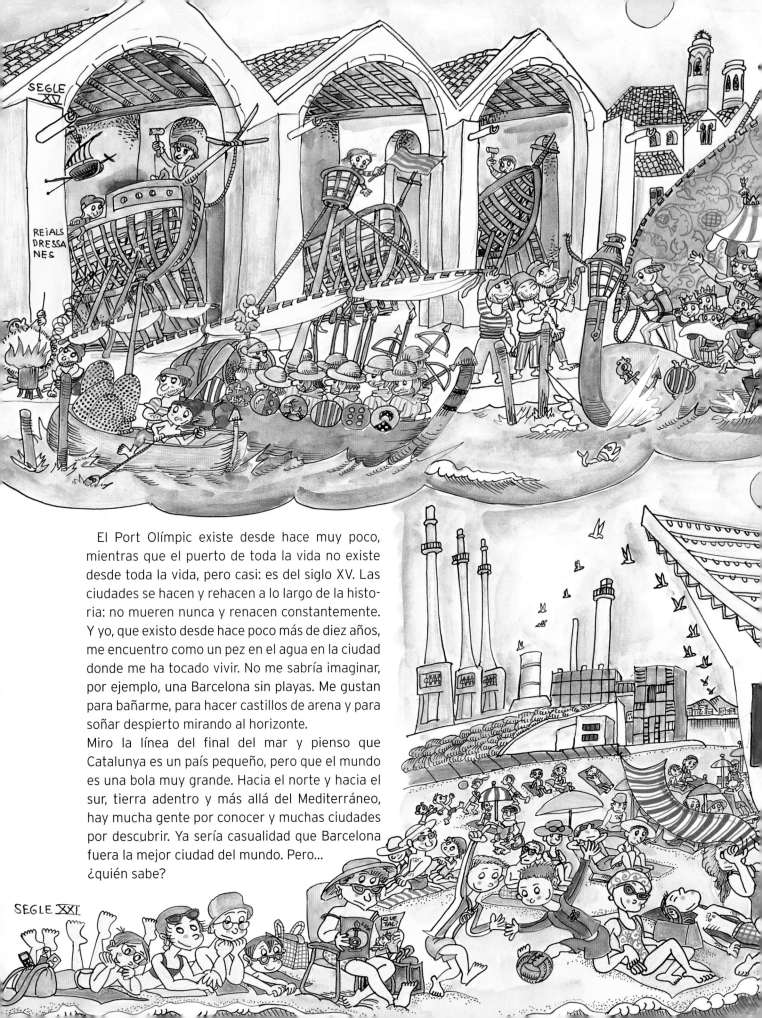

El Port Olímpic existe desde hace muy poco, mientras que el puerto de toda la vida no existe desde toda la vida, pero casi: es del siglo XV. Las ciudades se hacen y rehacen a lo largo de la historia: no mueren nunca y renacen constantemente. Y yo, que existo desde hace poco más de diez años, me encuentro como un pez en el agua en la ciudad donde me ha tocado vivir. No me sabría imaginar, por ejemplo, una Barcelona sin playas. Me gustan para bañarme, para hacer castillos de arena y para soñar despierto mirando al horizonte.

Miro la línea del final del mar y pienso que Catalunya es un país pequeño, pero que el mundo es una bola muy grande. Hacia el norte y hacia el sur, tierra adentro y más allá del Mediterráneo, hay mucha gente por conocer y muchas ciudades por descubrir. Ya sería casualidad que Barcelona fuera la mejor ciudad del mundo. Pero... ¿quién sabe?